GATITOS

CALI

CALI

SCHOLASTIC INC.

New York Toronto London Auckland

Sydney Mexico City New Delhi Hong Hong

Un agradecimiento especial a mi
experta en gatos, Kristin Earhart,
por toda su ayuda.

Originally published in English as *Kitty Corner: Callie*

Translated by Ana Galán.

ISBN 978-0-545-45820-7

Cover art by Mary Ann Lasher
Cover design by Tim Hall

12 11 10 9 8 7 6 5 4 3 2 1 12 13 14 15 16 17/0

Printed in the U.S.A. 40
First Spanish printing, September 2012

CAPÍTULO UNO

—¡Michael, espera!

Mía Battelli patinaba por la acera intentando alcanzar a su hermano mayor.

La chica apretó el freno de su patineta para reducir la marcha y acomodarse bien el dibujo que llevaba enrollado debajo del brazo. Miró calle abajo para ver a su hermano. Como siempre, iba muy adelantado. Michael siempre tenía mucha energía, incluso después de haber corrido de un lado a otro en la cancha de baloncesto durante dos horas.

Mía y Michael regresaban a casa después de sus programas extraescolares en el centro comunitario donde trabajaba su papá. Mía tomaba clases de arte y Michael jugaba en una liga de baloncesto.

—Vas a paso de tortuga —gritó Michael por encima del hombro—. Tenemos que apurarnos si quieres pasar por Hocicos y Bigotes.

Al oír eso, Mía agarró el manillar de su patineta y aceleró la marcha. Le encantaba ver los animales de la clínica veterinaria Hocicos y Bigotes. La veterinaria, la Dra. Bulford, solía quedarse con algunas mascotas cuando sus dueños salían de viaje. La doctora también trabajaba en el refugio de animales del barrio e intentaba buscar buenas familias para los animales que no tenían un hogar. A veces dejaba que Mía y Michael entraran a acariciar los animales que estaban en la veterinaria.

Cuando Mía vio que su hermano doblaba la esquina del edificio de ladrillos al final de la cuadra, impulsó su patineta con más fuerza.

Unos segundos después, Mía llegó a la misma esquina y se detuvo delante de Hocicos y Bigotes. Allí, en el escaparate de la veterinaria, acurrucados en una caja con cachorritos de varias razas y un gato siamés, estaban los tres gatitos más lindos que había visto en su vida. Parpadeaban y se estiraban como si se acabaran de despertar de una larga siesta.

—¡Mira! —dijo Mía—. Son monísimos. Deben de ser nuevos. No los había visto aquí antes.

Uno de los gatitos era de color crema con rayas anaranjadas y otro con rayas grises y blancas. Pero el más adorable era uno negro con los ojos verdes brillantes y una mancha blanca debajo del hocico.

—Mira, es un gato esmoquin. Parece que va vestido de traje para una fiesta —añadió Mía, a quien le encantaban los gatos blancos y negros—. Si fuera mío lo llamaría Óreo.

—Puf —dijo Michael poniendo cara de asco—. Nunca deberías ponerle a un gato nombre de comida. No te lo vas a comer, ¿no?

Mía le devolvió la mueca. No le gustaba admitirlo, pero era posible que Michael tuviera razón.

—Además —continuó Michael—, ya sabes que

mamá nunca nos dejaría tener una mascota. Y si lo hiciera, yo me aseguraría de que fuera un perro.

Michael señaló un cachorrito blanco con una mancha de color caramelo alrededor de uno de sus ojos marrones.

—¡Ni hablar! —dijo Mía—. Si nos dejaran tener una mascota, está claro que sería un gato.

Mía no podía dejar que Michael eligiera la mascota solo porque era dos años mayor. Para ella, los gatos eran mucho mejores que los perros. Se acurrucan en tu regazo, no necesitan que los pasees todos los días y, lo mejor de todo, ronronean. Mía siempre había querido un gato. ¡Tenía que tener un gato!

El cachorrito que le gustaba a Michael era lindo, pero el gatito negro era todavía más lindo. Al bostezar, Mía pudo ver su pequeña lengua rosada y sus dientes afilados.

Aquellos dientes le recordaron que los gatos domésticos pertenecen a la familia de los grandes

felinos salvajes. A Mía le encantaba leer sobre leones, jaguares, tigres y leopardos. Todos los trabajos que hacía para la escuela eran sobre los felinos salvajes, y solían incluir datos como la velocidad a la que corrían y la distancia a la que podían saltar. El estante inferior de su librero estaba lleno de libros de animales.

El gatito negro se acercó al cristal.

—¡Ay, qué lindo eres! —dijo Mía.

Justo entonces, la Dra. Bulford apareció por la puerta principal de la consulta. Saludó a Mía y a Michael cuando los vio.

Mía se mordió el labio. Se moría de ganas de tener a uno de esos gatitos en sus brazos. De hecho, quería quedarse con el gatito que parecía vestido de esmoquin, pero Michael tenía razón. Su mamá no los iba a dejar tener una mascota en el apartamento, que aunque tenía patio, seguía siendo pequeño. La mamá de los chicos pensaba que los animales necesitan mucho espacio para explorar y crecer. Ella de pequeña había tenido

perros y gatos porque se había criado en el campo, en una casa grande con un jardín grande.

—Vamos, mamá tiene que salir —dijo Michael, y tiró de la camisa de Mía—. ¡Te echo una carrera hasta la casa!

Michael salió disparado antes de que Mía pudiera volver a poner su dibujo debajo del brazo. La chica miró hacia atrás, al gatito, y después se apuró para alcanzar a su hermano hasta la esquina, donde Michael esperaba a que cambiara la luz del semáforo. Los chicos miraron a ambos lados y cruzaron la calle caminando (una norma de su familia). En cuanto llegaron a la otra acera, volvieron a subirse a sus patinetas y fueron a toda velocidad hasta la siguiente esquina.

—¡Empate! —gritó Michael al detenerse con un derrape.

Mía y Michael cruzaron la puerta de la valla con sus patinetas y subieron por las escaleras anchas que daban a la puerta principal del edificio donde vivían. A mitad de camino, Mía se detuvo.

—Espera, Michael —dijo—. ¿Has oído eso? Fue un maullido.

Desde las escaleras, miró hacia abajo, a la basura y los cubos del reciclaje que había a un lado del edificio. Buscó entre las flores de su mamá y las macetas con plantas. Miró hacia la calle y vio autos estacionados cerca de la acera, gente paseando a sus perros, una niña en bicicleta y un señor empujando el coche de un bebé. Pero no vio ningún gato. ¿De dónde habría salido ese maullido?

—No fue nada. Te lo has imaginado —dijo Michael—. Estás tan loca por los gatos que no has dejado de oírlos en tu cabeza desde que salimos de Hocicos y Bigotes.

—No, estoy segura de haber oído un maullido —dijo Mía—. Y sonaba muy triste.

—Vamos, Mía. —Michael empezó a subir las escaleras de nuevo—. Tú sí que te pondrás triste si no ves a mamá antes de que se vaya a la tienda.

Mía volvió la mirada hacia las escaleras y suspiró. Michael tenía razón. Si no se daba prisa, no vería a su mamá. Y eso no le gustaría nada. Su mamá trabajaba en una florería a unas cuadras de allí. Dos veces a la semana, Julia Battelli entraba a trabajar por la tarde y se quedaba para cerrar la tienda. Esos días tenía que organizar todas las flores cortadas y las herramientas de jardinería para el día siguiente. Normalmente no llegaba a casa hasta pasadas las diez, así que su papá se quedaba a cargo.

Mía entró en el edificio y dejó su patineta al lado de la de su hermano, debajo del perchero para abrigos que había en el pasillo. Podía oír a Michael hablando con su mamá en el apartamento. Mía también tenía cosas que contarle a su mamá, pero antes de entrar al apartamento, volvió de puntillas hasta la puerta del edificio, la abrió lentamente y se asomó afuera. ¡Ajá! ¡Allí estaba! Vio un destello de color al lado del cubo de basura. Era blanco, ¿o a lo mejor anaranjado? No estaba segura, pero sabía que había visto algo.

—¡Mía! —llamó su mamá—. Mía, ¿dónde estás?

Mía dudó. Entonces dejó que la puerta se cerrara. Primero tenía que ver a su mamá. Después decidiría qué hacer con eso tan especial que había ahí fuera. De momento, sería su secreto.

CAPÍTULO DOS

—¡Mamá! —llamó Mía mientras se quitaba sus zapatillas moradas y las metía debajo del zapatero que había en el pasillo del edificio—. ¡Mamá!

—Estoy aquí, Mía.

La chica entró al apartamento y siguió la voz hasta la cocina. La Sra. Battelli estaba agachada, mirando en el horno. Michael estaba apoyado en la nevera. El chico tenía el mismo cabello rebelde, oscuro y ondulado de su mamá, pero más corto, mientras que ella lo llevaba recogido en una coleta.

Los dos miraron cuando Mía entró en la cocina.

—Hola, mi amor —dijo la Sra. Battelli.

—Hoy hice un dibujo —dijo Mía, y empezó a

desenrollar la cartulina de su clase de arte—. Adivina qué es.

—Un tigre —dijo Michael.

Mía sabía que iba a decir eso. A ella le encantaba dibujar tigres, pero esta vez había hecho algo diferente.

—No —contestó—. No es un tigre.

—¿Un leopardo? —preguntó la Sra. Battelli.

—Casi. Tiene manchas —dijo Mía, y desenrolló la cartulina del todo—. ¡Un jaguar! ¿Sabían que los jaguares son los terceros felinos más grandes, después de los tigres y los leones?

La Sra. Battelli y Michael se miraron y sonrieron.

—No, no lo sabía, Mía, pero ya me imaginaba que ibas a pintar algún tipo de gato. Hum... me pregunto cómo se me ocurrió eso —dijo la Sra. Battelli con una sonrisa.

Mía quería contarle a su mamá acerca de lo que había oído y visto afuera, pero decidió esperar.

Primero tenía que descubrir qué era exactamente. Así que puso su dibujo en la puerta de la nevera, junto a sus otras tres obras de arte gatunas.

—Perdona que hayamos llegado tarde —dijo Michael—. Mía no podía dejar de mirar los nuevos gatitos del escaparate de Hocicos y Bigotes.

Mía le hizo una mueca a su hermano.

—¿Y es que a ti no te gustaba ese cachorrito o qué? —preguntó

—No vamos a tener la misma discusión de siempre —dijo la Sra. Battelli mientras se ponía un guante de horno—. A todos nos encantan los animales, pero no tenemos suficiente espacio aquí. Apenas tenemos lugar para nosotros cuatro y un par de plantas.

—¿Qué pasaría si tuviéramos una mascota y creciera tanto como el árbol que hay en tu habitación? —le preguntó Michael a su mamá.

—Exacto —contestó la Sra. Battelli, y todos se voltearon para mirar a través de la puerta de la habitación el árbol de ramas frondosas que bloqueaba casi toda la ventana—. No me imaginaba que ese ficus se iba a poner tan grande en tan poco tiempo —añadió.

—Es demasiado grande —dijo Michael—. Va a hacer un agujero en el techo.

—A mamá se le dan muy bien las plantas —dijo Mía.

—A mí se me daría muy bien un perro —dijo Michael.

Evidentemente, el chico no estaba listo para cambiar de tema.

—Y a mí se me daría muy bien un gato —añadió Mía rápidamente, poniéndose las manos en la cadera.

—Ya basta, los dos —dijo la Sra. Battelli sonriendo—. Ahora, ¿quién quiere una barrita de cereal casera?

—¡Yo! —gritaron los chicos.

—¡Por fin están de acuerdo en algo! —dijo la Sra. Battelli.

El aroma a canela llenó el aire mientras ella sacaba la bandeja del horno.

—Lávense las manos y quiten sus libros de la mesa. Las barritas ya se habrán enfriado cuando estén listos —dijo.

Pronto los tres estaban sentados a la mesa del comedor donde Mía y Michael siempre hacían las tareas. Mía sacó su cuaderno de matemáticas de la mochila y lo puso en la mesa.

—Papá llegará a casa en un rato —dijo la Sra. Battelli—. Mientras tanto, la Sra. Brennan se quedará con ustedes.

La Sra. Brennan era la vecina del piso de arriba. Muchas veces cuidaba a Mía y Michael después de la escuela, a pesar de que ellos ya tenían ocho y diez años y creían que eran lo suficientemente grandes para quedarse solos.

—Si quieren tener tiempo para estar con su papá más tarde, es mejor que terminen todas sus tareas ahora —les recordó su mamá.

—Muy bien —dijo Mía.

A la Sra. Battelli le gustaba que sus hijos se quedaran en la mesa hasta que terminaran todas las tareas. A Michael le costaba trabajo quedarse quieto en un sitio, pero a Mía no le importaba.

Sin embargo, ese día era diferente. Mía sabía que podía haber algo escondido cerca de las escaleras de la entrada del edificio. ¿Cómo podría concentrarse en las fracciones o el Ártico, o hacer cualquier otra cosa, hasta que descubriera qué era eso que maullaba? Cerró los ojos e intentó escuchar otro pequeño maullido triste. Pero todo lo que oyó fue el crujido de la madera mientras la Sra. Brennan bajaba las escaleras hacia su apartamento.

De repente, la puerta se abrió.

—¿Hola?

—¡Nonna Kate!

Mía saltó de la silla para recibir a su vecina con un abrazo.

—Hola, Nonna Kate —dijo Michael dando un bocado a su barra de cereal.

Mía sabía que Katherine Brennan vivía en el edificio hacía más de veinte años. Con frecuencia se sentaba en las escaleras del portal a mirar a la gente (y las mascotas) pasar. Allí la vieron el día que se mudaron. Mía fue la que le puso el apodo. La llamaban Nonna Kate porque "nonna" en italiano quiere decir abuela.

Los zapatos blancos de Nonna Kate chirriaron cuando entró y se acercó a la mesa. Se sentó en una silla vacía.

—Gracias por quedarse con Mía y Michael hoy —dijo la Sra. Battelli.

—Ay, por Dios —dijo su vecina—. Ya sabes lo mucho que me gusta estar con ellos. Encantada de poder ayudar siempre que quieran.

La Sra. Battelli agarró su bolsa de trabajo y se despidió de sus hijos con un beso.

—Hagan caso a Nonna Kate, chicos, y preparen sus cosas para la escuela. Ya los veré temprano por la mañana.

Mía y Michael asintieron. Sabían lo que tenían que hacer los días en que su mamá trabajaba hasta tarde.

Una vez que la Sra. Battelli se fue, Mía hizo que miraba su cuaderno de matemáticas. Pero en realidad estaba ideando un plan. Había llegado el momento de descubrir el secreto que aguardaba afuera. Mía pasó una página del libro, metió un lápiz para marcar el sitio y echó la silla hacia atrás.

—Tengo sed —dijo.

Nonna Kate levantó la vista del periódico.

—Si quieres te traigo agua —ofreció.

—No, gracias, voy yo. —Mía agarró su vaso y se dirigió a la cocina. Al rato salió con una bolsa plástica de reciclaje en las manos—. Esta bolsa está casi llena, así que la voy a sacar.

Atravesó rápidamente el comedor, intentando no mirar a Nonna Kate ni a Michael a la cara, se puso los zapatos en el pasillo del edificio y se dirigió a la puerta principal. La bolsa no estaba llena para nada; de hecho, estaba casi vacía. Pero tenía que salir afuera. Bajó las escaleras de la entrada de puntillas observando la zona alrededor de los cubos de basura. Como no vio nada, se acercó un poco más. Cuando estaba a unos tres pasos, una nariz rosada y unos bigotes blancos aparecieron por detrás del contenedor de reciclar periódicos. ¡Un gatito! ¡Un gatito de verdad! Los bigotes desaparecieron, pero entonces volvió a oír el maullido.

Eran maullidos cortos y rápidos. ¿Estaría enfermo?

—Aquí, gatito —dijo Mía—. Aquí, gatito, gatito.

Un lindo gatito con los ojos amarillos muy brillantes se asomó por entre las latas. Era tricolor: blanco con manchas anaranjadas y negras. Levantó una de sus patitas delanteras y volvió a maullar, mostrando la lengua rosada y los dientitos blancos. A Mía le dio un vuelco el corazón al ver la pata del gatito inflamada y con manchas de sangre seca. ¡Pobrecito! Con razón sus maullidos sonaban tristes. Mía se quedó muy quieta. Estaba deseando acercarse, pero no quería asustarlo.

Justo cuando estaba a punto de estirar la mano muy despacio y con mucho cuidado, oyó que se abría la puerta del edificio.

—¡Mía! —llamó Michael.

El gatito desapareció y se volvió a meter en su escondite entre las latas.

—Mía, ¿qué haces? —preguntó Michael desde la parte de arriba de las escaleras.

Antes de que la chica pudiera contestar, el gatito saltó de detrás del cubo de basura, se escurrió entre los barrotes de hierro de la valla y salió corriendo por la acera. Con las orejas hacia atrás, se metió debajo de un auto verde estacionado delante del edificio... y desapareció.

CAPÍTULO TRES

—¡Michael! ¿Lo has visto? ¡Era un gatito! Estaba ahí —gritó Mía, y señaló al lugar donde había visto al gato calicó—. ¿Lo viste antes de que saliera corriendo?

Michael asintió.

Mía se dio cuenta de que estaba gritando. Podría asustar al gatito aun más.

—Está herido —susurró mirando hacia su hermano—. Tiene una herida horrible en la pata y la pone así—. Mía dobló la muñeca y dejó los dedos colgando.

Michael bajó los escalones.

—Sabía que tramabas algo —dijo—. Tú nunca sacas la basura. Ese es mi trabajo.

—¿Y? —dijo Mía—. Ahora que lo asustaste, ¿me vas a ayudar a buscarlo?

Se arrodilló en la acera para ver si el gato seguía debajo del auto. Estaba herido y necesitaba ayuda.

Michael negó con la cabeza.

—A estas alturas ya debe de haberse ido —dijo. Cogió la bolsa plástica y la metió en el cubo del reciclaje.

—Michael, Mía —llamó una voz desde arriba. Nonna Kate apareció por las escaleras—. Se supone que no pueden salir a jugar hasta que terminen sus tareas.

—No estamos jugando —dijo Mía—. Vimos un gatito y vamos a rescatarlo.

—¿Un gatito? —el tono de la voz de Nonna Kate se suavizó durante un momento, pero después volvió a ser el mismo de antes—. Ay, no. No van a perseguir gatos callejeros mientras estén a mi cargo. Hay que tener mucho cuidado cuando se trata de animales desconocidos.

—Pero el gatito tiene una herida horrible en la pata —dijo Mía, y repitió la pose del gato para Nonna Kate. La miró con ojos grandes y tristes, pero sabía que no la iba a convencer.

—Mía, Michael, vuelvan adentro.

Nonna Kate sujetó la puerta. Michael se dio la vuelta y subió los escalones de un salto. Mía se levantó, se frotó las manos y miró a la calle una vez más.

—Mía —dijo Nonna Kate señalándola con el dedo.

—Está bien, ya voy —dijo la chica.

Lentamente y con desgana, subió los escalones. Se volteó una última vez en la parte de arriba esperando ver al gatito.

—Deben terminar sus tareas —dijo Nonna Kate haciendo un gesto para que Mía entrara—. Cuando su papá llegue a casa, lo pueden hablar con él.

Mía miraba el reloj cada vez que pasaba una página. Se esforzó en hacer todos los problemas

de matemáticas y la redacción sobre el Ártico. Si terminaba sus tareas, cuando llegara su papá a lo mejor podrían volver a salir a buscar al gatito. Él seguro que entendería que Cali necesitaba su ayuda.

Cali. Ese era el nombre que Mía le había puesto al gato calicó. La chica suspiraba cada vez que recordaba sus lindos ojitos amarillos.

En cuanto el reloj marcó las 6:20, Mía cerró su cuaderno.

—He terminado. ¿Me puedo levantar para ir a esperar a mi papá? —preguntó.

—Por supuesto, querida —dijo Nonna Kate sonriendo.

Mía sabía que a Nonna Kate le gustaba mucho que ella y Michael fueran educados.

Saltó de la silla y corrió hacia la habitación de sus padres, que daba al frente del edificio. Se abrió paso entre el ficus inmenso de su mamá y se asomó a la ventana. Estaba oscureciendo, pero pudo distinguir los pasos acelerados de su papá al final de la cuadra. Cada segundo veía mejor sus pantalones caqui, sus zapatos deportivos, su camisa con las mangas remangadas, su portafolios de tela y su amable sonrisa.

Cuando el Sr. Battelli puso un pie en el primer escalón de la escalera de la entrada, Mía dio un golpecito en la ventana y salió corriendo para abrirle la puerta.

—No se corre en la casa —dijo Nonna Kate cuando Mía pasó por su lado.

—¡Papá! ¡Papá!

Mía recibió a su papá en el pasillo del edificio y tomó una de sus manos entre las de ella. Antes de que Joe Battelli pudiera pasar por la puerta, su hija ya le había contado hasta el último detalle de su encuentro con el gatito calicó más dulce del mundo.

—Decía "miau, miau, miau" y tenía una herida horrible en la pata —le contó a su papá—. Tenemos que encontrarlo y salvarlo. Tenemos que cuidarlo hasta que esté mejor.

—Cálmate, Mía —dijo el Sr. Battelli poniéndole con cuidado un mechón de pelo detrás de la oreja—. Déjame entrar y dejar mi portafolios. Me lo puedes contar todo mientras cenamos.

El Sr. Battelli se quitó los zapatos.

—Hola, Katherine —le dijo a Nonna Kate—. Gracias por quedarse con los chicos.

—Ya sabe que para mí es un placer.

Nonna Kate se levantó y recogió sus periódicos y revistas.

—No tiene que irse tan pronto —dijo el Sr. Battelli—. ¿Por qué no se queda a comer espaguetis con albóndigas con nosotros?

Mía se alegró cuando Nonna Kate le dio las gracias a su papá pero dijo que no. Normalmente, a ella le encantaba tener compañía para la cena, pero esa noche no era una noche normal. Esa noche, ella, su papá y Michael iban a rescatar a Cali de la calle. Estaba convencida de ello.

Entre cada bocado de espaguetis, Mía hablaba de Cali. Una y otra vez, mencionó los maullidos tristes del gatito y su patita herida. Sabía que su papá acabaría cediendo y la ayudaría a buscarlo.

—Mira, Mía, ya sabes que tu mamá no está preparada para tener una mascota en estos momentos —dijo su papá reclinándose un poco en la silla—. Pero supongo que si lo encontramos y lo acogemos por unos días, solo estaríamos ayudando a un gato herido. Podríamos cuidarlo hasta que se cure la pata. ¿Qué opinas, Michael? Estás muy callado.

Michael sorbió un trozo de pasta y se chupó los labios.

—Yo en realidad no pude verlo bien —dijo, y luego tragó e intercambió una mirada con Mía—. Me siento un poco mal porque salió corriendo cuando abrí la puerta y grité el nombre de Mía.

—Mejor no perdamos el tiempo sintiéndonos mal —dijo el Sr. Battelli mientras dejaba su servilleta en la mesa—. Tenemos que encontrar a ese gatito.

Se levantó y empezó a recoger la mesa.

El corazón de Mía dio un salto. ¡Iban a ayudar a Cali!

—Se llama Cali —le recordó.

—Eso, Cali —dijo su papá.

Mía y Michael ayudaron a recoger los platos mientras su papá buscaba una linterna en una gaveta llena de cachivaches. Entonces todos salieron a la noche.

CAPÍTULO CUATRO

—A lo mejor está debajo de un auto —dijo Mía esperanzada.

Mía y su papá ya habían buscado entre los cubos de basura y del reciclaje. Ahora miraban debajo de los autos estacionados en frente de su casa. Michael se quedó atrás vigilando la acera y la calle. Mía le había pedido que hiciera eso por si Cali trataba de escapar por allí.

—Muy bien, vamos a pensar un poco —dijo el Sr. Battelli, y le puso la mano en el hombro a Mía—. Si estuviera tan herido, se habría quedado por aquí cerca. A lo mejor la herida de su pata no es tan grave como parece.

Mía quería creerle a su papá, pero seguía preocupada. Se acercó a una camioneta y se arrodilló.

—Ven aquí, gatito lindo —dijo suavemente—. Gatito, ven.

—Mía, hemos buscado debajo de todos los autos —dijo su papá mirando el reloj—. Se está haciendo tarde. Tú y Michael tienen que ir a casa y prepararse para ir a la cama. Los gatos saben cuidarse muy bien solos. Seguro que Cali estará bien.

—Pero no podemos dejarlo por ahí —dijo Mía—. Está herido y no podrá conseguir nada de comer.

Ella sabía que los gatos callejeros tenían que cazar para alimentarse, al igual que los grandes felinos salvajes. El Sr. Battelli respiró hondo y metió las manos en los bolsillos de su sudadera.

—¿Qué te parece si compramos un poco de comida para gatos en la tienda del Sr. Li? La podemos poner al lado de los cubos de basura. ¿Te haría sentir mejor? —preguntó.

—Sí —dijo Mía, y le sonrió de oreja a oreja a su papá.

El Sr. Battelli tomó la mano de su hija y pasó el otro brazo por encima del hombro de Michael. Caminaron calle abajo.

A Mía le gustaba ir a la tienda del Sr. Li. Estaba a la vuelta de la esquina, a mitad de la cuadra. La pequeña y estrecha tienda tenía de todo, desde verduras hasta cajas de macarrones con queso y trampas para ratones, todo almacenado en estantes que iban del piso al techo. También había helados muy buenos en el congelador, al lado de la máquina registradora.

Cuando los Battelli entraron en la tienda, el Sr. Li se ajustó los anteojos y levantó la vista de sus papeles.

—Hola, hola —dijo sonriendo. A Mía le gustaba que siempre repitiera su saludo dos veces—. ¿Cómo está la familia Battelli?

—Muy bien —contestó el papá de los chicos con una sonrisa.

—Hemos venido a comprar comida para gatos —soltó Mía. Hasta ella se sorprendió. No parecía

tan tímida como siempre. Si realmente quería ayudar a Cali, tenía que hablar.

El Sr. Li asintió.

—En el fondo. Hay latas, cajas y bolsas.

Mía fue directo a la parte de atrás de la tienda y miró las lindas etiquetas de las latas: pavo, pollo, salmón, guiso.

—Mejor compremos comida seca —dijo el Sr. Battelli acercándose.

Mía agarró una bolsa anaranjada gigante.

Su papá se rió.

—No necesitamos tanto. ¿Qué te parece si compramos una caja? —dijo señalando una caja amarilla.

—Kitty Nibbles, con sabor a carne —dijo Mía leyendo la etiqueta mientras se acercaba.

—¿Han comprado un gato? ¡Enhorabuena! Me gustan los gatos —dijo el Sr. Li.

Mía miró al dueño de la tienda por un momento. Estaban comprando comida para gatos, por lo cual era normal que pensara que tenían uno. Pero

no era así. Ni siquiera estaba cerca de tener su propio gato.

—Hum, no exactamente —dijo—. Es que hay un gatito calicó muy lindo merodeando nuestra casa. Tiene la pata herida y queremos ayudarlo.

—¿Es un gato callejero? —preguntó el Sr. Li sorprendido.

—Sí, creemos que sí —contestó el Sr. Battelli dándole un billete de cinco dólares al Sr. Li.

—No pudimos encontrarlo, pero vamos a poner un poco de comida cerca de los cubos de basura para que no pase hambre —dijo Mía.

—Es un buen plan —murmuró el Sr. Li—. Yo también pondré comida. Lo ayudaremos juntos —dijo mientras contaba el cambio y se lo entregaba al Sr. Battelli.

—¿De verdad? —preguntó Mía esperanzada tomando la caja de comida—. Ay, gracias, Sr. Li.

Todos se despidieron, y al llegar a casa, Mía y Michael llenaron un cuenco con comida y otro con agua y los pusieron cerca de los cubos de basura.

Después, cuando subían los escalones, notaron el aire frío de la noche. Mía miró hacia la calle y la acera una vez más, pero no había señal del lindo gatito. Cruzó los dedos y cerró los ojos con fuerza, deseando que Cali estuviera allí, comiendo su comida del cuenco, cuando ella se despertara por la mañana.

CAPÍTULO CINCO

Mía se despertó, dio media vuelta en la cama y salió corriendo a la habitación de sus padres. Cali fue lo primero que le vino a la mente esa mañana. Estaba segura de que el gatito estaría esperándola cerca de las escaleras. Pasó al lado del ficus, apartó las cortinas y pegó la cara a la ventana. Miró hacia abajo y vio que el cuenco de comida estaba vacío. Pero no había ni rastro de Cali.

—¡Se la comió! —gritó Mía—. Cali se comió su comida. ¡Tiene que estar ahí afuera!

Sus padres protestaron. La miraron con los ojos entrecerrados, intentando protegerse de la luz del sol que entraba por la cortina abierta.

—Voy a salir —dijo Mía, y salió corriendo de la habitación.

—No, no lo harás —dijo la Sra. Battelli—. Ven aquí, Mía.

La chica conocía ese tono de voz. Su mamá no lo usaba muchas veces, pero cuando lo hacía, era en serio. Mía se detuvo y frunció el ceño. Volvió a entrar en la habitación de sus padres. Su mamá se había levantado.

—Papá me habló del gatito callejero —dijo la Sra. Battelli.

—Se llama Cali —empezó a decir Mía.

Quería contarle a su mamá toda la historia, pero antes de que pudiera hacerlo, la Sra. Battelli la tomó de la mano.

—Me alegra saber que quieres ayudar a un gatito, Mía —dijo—, pero espero que no hayas olvidado que no estamos preparados para tener una mascota.

Mía asintió.

—Sé que quieres salir afuera, pero hoy hay escuela. Primero tienes que alistarte. Después, si hay tiempo, puedes mirar rápidamente entre los

cubos de basura—. La Sra. Battelli miró a Mía a los ojos, y Mía se dio cuenta de que no tenía sentido discutir.

El apartamento se llenó de actividad en poco tiempo. El Sr. Battelli hizo café y la Sra. Battelli preparó tostadas y cortó fruta mientras Mía y Michael se turnaban para entrar en el baño y vestirse, lavarse las manos y cepillarse los dientes y el pelo. Mía estaba tan concentrada en la rutina de la mañana que casi se había olvidado de Cali... hasta que sonó el timbre.

—¿Quién será? —preguntó la Sra. Battelli.

Mía luchaba con los cordones de un zapato mientras observaba a su mamá ir a la puerta. Nadie iba a su casa tan temprano. Sintió que el corazón le latía cada vez más rápido. Metió el pie en el otro zapato, agarró su mochila y siguió a su mamá afuera hasta el pasillo. Podía ver a alguien detrás de las cortinas de encaje de la puerta principal del edificio.

—Hola, Sr. Li —dijo la Sra. Battelli abriendo la puerta—. ¿Cómo está?

¿El Sr. Li? A Mía el corazón le dio un vuelco.

—Muy bien. Hace una linda mañana —dijo el Sr. Li.

—Ay, tiene al gatito —dijo la Sra. Battelli sorprendida.

¡El gatito! Mía soltó la mochila y se abrió paso por la puerta medio abierta para ponerse al lado de su mamá. Miró al Sr. Li y vio al pequeño gato calicó acurrucado en sus brazos. ¡El Sr. Li había encontrado a Cali! Un zumbido de alegría le llenó los oídos. La Sra. Battelli y el Sr. Li estaban hablando, pero Mía no prestaba atención. Solo miraba al gatito que parecía muy pequeño en los brazos del Sr. Li. No paraba de moverse y el Sr. Li tenía que sujetarlo fuerte para que no se le escapara.

Mía sintió la mano de su mamá en el hombro.

—Sí, Mía ha estado muy preocupada por el

gatito. Pensó que tenía una herida seria en la pata. ¿No es cierto, Mía?

Mía apartó la vista del gatito para mirar a su mamá y asintió.

—En la mano —dijo. Después volvió a mirar al Sr. Li y a Cali.

—La herida parece profunda. Lo debería ver un veterinario —dijo el Sr. Li mientras le ofrecía el gato a la Sra. Battelli.

Cali se movía sin parar, y Mía pudo ver las uñas que se asomaban en las almohadillas rosadas de sus patas. Una pata seguía manchada de sangre.

La Sra. Battelli agarró al gatito. Mía observó que su mamá le ponía una mano por debajo del pecho y recogía las patas traseras con la otra mano. Cali se acurrucó inmediatamente en sus brazos.

—Sí, lo llevaremos a la veterinaria —le dijo la Sra. Battelli al Sr. Li—. Ya le diremos qué dijo. Gracias por traerlo.

—Sí, sí —dijo el Sr. Li haciendo una pequeña reverencia. Sonrió a Mía y bajó las escaleras para volver a su tienda.

Para entonces, el Sr. Battelli y Michael habían llegado hasta la puerta.

—Qué lindo es —dijo el Sr. Battelli acariciándolo.

—Linda —corrigió su esposa—. Y se mueve sin parar —añadió agarrando a la gatita con más fuerza.

Todos se quedaron mirando a Cali mientras la Sra. Battelli les contaba lo que había dicho el Sr. Li. La noche anterior, al salir de la tienda, el Sr. Li había puesto comida en la puerta. Cuando llegó por la mañana, se encontró a Cali sentada cerca del cuenco. La gatita se había quedado en la tienda hasta que por fin él pudo tomarse un pequeño descanso para traerla hasta aquí.

—Mía tenía razón —dijo—. Tiene una herida en una pata.

La Sra. Battelli apretó un poco la patita de Cali, y la gata maulló y la retiró.

—La tenemos que llevar a la veterinaria —dijo Mía—. La Dra. Bulford sabrá qué hacer. Deberíamos llamarla ahora mismo.

—Ahora mismo tenemos que llevar a dos niños a la escuela —dijo su mamá—. Yo llamaré a la Dra. Bulford en un rato y pediré un cita para esta tarde, así podremos ir todos juntos.

Mía frunció el ceño. ¿Por qué tenía que ir a la escuela ese día? Quería quedarse con Cali. Quería llevarla a la veterinaria ya mismo, quería pegar un pisotón y gritar: "¡Cali me necesita!". Pero sabía lo que le diría su mamá: Si pides las cosas de mala manera no conseguirás nada. Mía respiró profundo. Por lo menos Cali estaba a salvo en su casa, de momento. Después de la escuela irían a ver a la Dra. Bulford.

—¿Puedo por lo menos sujetarla un poquito? —preguntó Mía.

La Sra. Battelli dudó.

—Está bien, pero solo un minuto. No quiero que lleguen tarde.

La Sra. Battelli le pasó la gatita a Mía, y esta la sujetó con mucho cuidado. El pelo de Cali era muy suave y parecía estar muy flaquita debajo de todo ese pelo. No pesaba casi nada.

—Oye, Cali —dijo Mía suavemente—, te buscamos por todas partes.

La gatita dio tres maullidos y miró hacia el pasillo con sus grandes ojos amarillos.

—¿Estás asustada? No te preocupes. Vamos a cuidarte muy bien hasta que te cures.

Mía acarició a la gatita por debajo de la barbilla y Cali cerró los ojos y empezó a ronronear. La chica veía que movía la nariz al olfatear. ¿Qué estaría oliendo? ¿Qué estaría pensando?

¿Dónde estoy? Este sitio es nuevo. Parece nuevo y huele a nuevo. ¡Y hay tanta gente! Me gusta la gente y me gusta que me acaricien. Esta chica lo hace muy bien. Pero ahora quiero investigar. Me gusta saber dónde estoy. Me gusta cuidar de mí misma.

La gatita se retorció en los brazos de Mía.

—Muy bien —dijo la Sra. Battelli—. Es hora de que se vayan y me dejen pensar en qué voy a hacer con esta cosita tan linda e intranquila. Supongo que primero debo ir a la tienda del Sr. Li a comprar arena para gatos.

Le quitó la gatita a Mía y en su lugar le dio la mochila morada.

—Vamos, Mía —dijo el Sr. Battelli—. Vamos.

Mía sintió una mano en la espalda que la empujaba hacia la puerta. Michael ya estaba esperando abajo. Justo cuando iba a dar un paso, Mía se dio la vuelta.

—Adiós, Cali —dijo—. Pórtate bien con mamá. Te veré después de la escuela. Te lo prometo.

Cali dejó de retorcerse y miró a Mía con sus ojos amarillos. La chica estaba convencida de que la gatita le había entendido. Una promesa era una promesa.

CAPÍTULO SEIS

En la escuela, Mía no paraba de mirar las manecillas del reloj que había encima de la puerta de su salón. Las horas se hicieron larguísimas hasta que por fin pudo salir por las puertas principales de la escuela en busca de su mamá, que la esperaba en la esquina, como siempre.

Pero su mamá no llevaba a Cali. Mía se había imaginado que la vería con Cali en los brazos como cuando la dejó esa mañana. ¿Dónde estaría la gatita? ¿Es que no la iban a llevar a la veterinaria? Entonces se fijó mejor y vio que su mamá llevaba colgada al hombro una bolsa para transportar mascotas. Mía bajó las escaleras de un salto, se metió entre los chicos y corrió hacia su mamá.

—Hola, mamá —dijo, y se agachó para mirar por la redecilla de la bolsa—. Hola, Cali.

La gatita estaba acurrucada en el fondo de la bolsa. Su mamá había puesto una toalla vieja dentro, pero Cali parecía tener frío y miedo.

—Nonna Kate me prestó esta bolsa. Es de cuando ella tenía un gato. Pero creo que a Cali no le gusta nada estar ahí —dijo la Sra. Battelli—. Creo que no le gusta estar encerrada. Estuvo todo el día intentando salir de casa.

Mía se alegró de que Cali no se hubiera escapado. La gatita no debería correr por ahí sola con esa herida tan fea.

—¿Ese es tu gato, Mía? Es lindísimo.

Mía miró a Carmen, una chica de su clase, que se había detenido a su lado. Carmen nunca le había hablado antes.

—Me encantan los gatos tricolores —dijo Carmen—. ¿Sabes que casi todos los calicós son hembras? Solo uno de cada tres mil es macho. ¿No

es raro? —agregó, y se agachó para ver mejor a Cali.

Mía estaba sorprendida. ¿Carmen sabía de gatos?

—Bueno, no es exactamente nuestro gato —dijo Mía.

Carmen se incorporó y miró a Mía fijamente.

—¿Qué quieres decir?

—Solo la estamos cuidando —dijo la Sra. Battelli—. Mía ayudó a rescatarla de la calle. Tiene una herida en una pata y la vamos a llevar a la veterinaria.

—Qué bien —dijo Carmen dándole vueltas a un llavero que llevaba en la mano—. Qué suerte tienes. Mi mamá no nos deja tener gatos. Sueltan demasiado pelo.

—Sí —dijo Mía suspirando—, pero solo vamos a ayudarla un tiempo, hasta que se cure. Después intentaremos encontrarle un hogar.

—Acogerla temporalmente es mejor que nada

—dijo Carmen—. Sigo pensando que tienes suerte. Hasta luego, Mía.

La chica se despidió con la mano y se alejó.

¿Acogerla? A Mía le gustaba como sonaba eso. Era mejor que simplemente cuidar a Cali. Cuando Carmen se marchó, Mía miró a su mamá.

—¿Cuánto tiempo nos podemos quedar con Cali?

La Sra. Battelli no respondió.

—Ahí viene Michael —dijo.

La Sra. Battelli le hizo un gesto a su hijo para que las siguiera y después le dio un empujoncito cariñoso a su hija. Mía intentaba agacharse para ver a Cali mientras su mamá andaba. En cuanto la Sra. Battelli se empezó a mover, la gatita empezó a maullar.

Ay, no. Allá vamos otra vez. Esto no me gusta nada. ¡Casi ni me puedo parar! Y no hay manera de salir de esta bolsa. Me alegra haber vuelto a ver

a la chica. Tiene una voz amable. A lo mejor me deja salir.

—No pasa nada, Cali. Llegaremos a Hocicos y Bigotes muy pronto —dijo Mía intentando consolar a la gatita, que estaba muerta de miedo—. Te va a encantar la Dra. Bulford. Te ayudará a ponerte bien.

A los pocos minutos ya estaban en la sala de espera de Hocicos y Bigotes. Mía usualmente miraba a los dueños de mascotas a través del escaparate de la veterinaria, deseando tener ella también una mascota, pero ahora solo le interesaba Cali. La gatita levantaba la pata herida y se la lamía.

La Dra. Bulford apareció por detrás del mostrador de recepción con su pelo rubio por detrás de las orejas.

—¿Cali? —dijo mirando a todos en la sala, y entonces Mía vio la sonrisa de la veterinaria cuando ella, su mamá y Michael se pusieron de pie—. Síganme —dijo la Dra. Bulford y los llevó por un pasillo.

Una vez que entraron en el consultorio, la Sra. Battelli le dio la mano a la Dra. Bulford y le presentó a sus hijos.

—Ya conozco a Mía y a Michael. Les encantan los animales —dijo la Dra. Bulford con voz cálida y amable—. Me alegra que hayan adoptado un gato.

—No, no la hemos adoptado —dijo Mía.

La veterinaria parecía confundida.

—Cali apareció ayer en nuestra cuadra —explicó la Sra. Battelli—. La acogimos porque tiene una herida en una pata. Pensamos que necesitaba atención médica.

—La llamé Cali porque es una... —empezó a decir Mía.

—Calicó —dijo la Dra. Bulford sonriendo y asintiendo—. Muy lindo. Bien, como Cali es una gatita callejera, tendré que hacerle un examen completo para asegurarme de que está sana. Pero antes vamos a echarle un vistazo a esa pata.

La Sra. Battelli abrió la bolsa y Cali asomó su cabecita apoyando las patas en la parte de arriba de la bolsa.

Por fin dejamos de movernos. Y la bolsa está abierta. Voy a asomarme primero, ¡y después saldré a explorar!

Al verla, Mía pensó que Cali parecía uno de esos gatos que hay en las fotos de los calendarios. Adorable. Después Cali estornudó y le pareció más adorable todavía. Michael le sonrió a Mía.

—Es bastante cómica para ser un gato —dijo.

Con un gran salto, Cali salió de la bolsa y aterrizó en la mesa de reconocimiento de la Dra. Bulford.

—Estás nerviosa, ¿verdad? —dijo la veterinaria—. No te haré daño. Solo necesito mirarte la pata.

Intentó agarrar a Cali, pero la gatita saltó de la mesa y cayó en el piso. Luego salió corriendo y se escondió debajo de una silla. La Dra. Bulford se rió.

—Ya veo que esa herida no le impide moverse mucho.

Obviamente, la doctora estaba acostumbrada a animales que intentaban huir. En poco tiempo, agarró a la gatita y le examinó la herida. Cali soltó un maullido y se puso tensa. Mía hizo una mueca. Michael se acercó y apretó la mano de Mía.

—No pasa nada —dijo la veterinaria para calmar a Cali. Chasqueó con la lengua y rascó a la gatita debajo de la barbilla—. Hicieron lo correcto al traerla aquí —les dijo a Mía y su familia—. Su pata seguramente se curaría sola, pero por si acaso le voy a poner unos puntos y le daré una medicina para que no se infecte. También tenemos que hablar del hecho de que sea una gata callejera.

La Sra. Battelli miró a Mía y a Michael. Esta vez fue Mía la que apretó la mano de su hermano.

—Tengo la sensación de que Cali lleva ya un tiempo en la calle, así que supongo que no tiene familia —dijo la Dra. Bulford—. ¿Están dispuestos a acogerla hasta que esté bien?

Mía quería gritar que sí. Se moría de ganas de acoger a Cali, pero sabía que la decisión no dependía de ella. Miró a su mamá.

—Realmente no estamos listos para tener una mascota permanentemente —dijo la Sra. Battelli.

La veterinaria asintió y continuó examinando a Cali.

—Ahora que lo pienso, me resulta familiar —dijo la veterinaria—. Creo que la he visto andar por la calle Park durante los últimos meses.

Le examinó las orejas y la boca y la acarició pasándole la mano por el lomo.

—Parece estar sana, pero no recomiendo que los gatos estén sueltos en este barrio. Hay demasiado tráfico.

—A Cali no le gusta nada estar dentro de la casa —dijo la Sra. Battelli—. Se pasó todo el día mirando por la ventana o merodeando cerca de la puerta por si encontraba una oportunidad para salir.

—Como veterinaria no le puedo recomendar que la vuelvan a dejar en la calle —dijo la Dra. Bulford—, pero sé que hay gatos que sencillamente no quieren vivir en las casas. —Tomó a Cali en sus brazos—. Tengo que llevarla a la parte de atrás de la clínica para coserle la pata. Pueden esperar en la sala de espera. No se preocupen, la cuidaré muy bien. Mientras tanto, necesito que tomen una decisión: ¿van a dejar a Cali en la clínica hasta que se cure o se la van a llevar con ustedes a casa?

Mía aguantó la respiración. Miró a Michael y los dos miraron a su mamá. La chica cruzó los dedos.

CAPÍTULO SIETE

—Por favor, mamá —dijo Mía bajito—. Cali nos necesita.

La Sra. Battelli no respondió. No le gustaba que le rogaran.

—Dame solo un minuto —dijo—. Estoy pensando.

—Déjame que te ayude —dijo Michael—. Mira, Mía y yo vamos a cuidarla.

—¿De verdad? —preguntó la Sra. Battelli.

—Claro —contestó Michael.

Mía miró a su hermano. No se había imaginado que él quisiera ayudar con Cali. Los ojos de Michael se encontraron con los de Mía.

—No es un perro, pero no está mal —dijo Michael encogiéndose de hombros.

—Muy bien —dijo la Sra. Battelli—. Nos la llevaremos, pero solo hasta que esté mejor. Después tenemos que buscarle un hogar.

Mía quería saltar de alegría. ¡Se iban a llevar a Cali de vuelta a casa!

Cuando la Dra. Bulford les llevó a Cali a la sala de espera, Mía escuchó con atención todo lo que dijo. Tenían que volver a llevar a la gatita a la clínica en una semana para ver cómo estaba la herida. Para entonces habrían desaparecido los puntos.

—Mientras tanto, tienen que mantener a Cali dentro de la casa para que se cure bien —añadió la veterinaria—. La herida tiene que estar limpia o se infectará. Disfruten de Cali. Tiene suerte de que la van a cuidar.

Cuando salieron de Hocicos y Bigotes, la Sra. Battelli dijo que tenía que comprar unas verduras para la cena. Mía fue dando saltitos todo el camino hasta la tienda del Sr. Li. ¡Una semana! Tenía una semana entera para estar con Cali.

Eso sería suficiente tiempo para convencer a su mamá de que se quedaran con ella para siempre, sobre todo si Michael ayudaba.

—Esperaré aquí con Cali —dijo la Sra. Battelli cuando llegaron a la tienda—. Vayan ustedes y compren un pimiento rojo y un ramillete de brócoli.

La Sra. Battelli le dio dinero a Michael. Mía se despidió de Cali y siguió a su hermano hasta la tienda.

Cuando llegaron a la caja registradora, Mía estaba demasiado emocionada para quedarse callada. Rápidamente le contó al Sr. Li lo que había pasado en la clínica y que se quedarían con Cali hasta que se curara. El Sr. Li escuchaba atentamente mientras les daba el cambio y ponía las verduras en una bolsa.

—¿Dónde está Cali ahora? —preguntó.

—Afuera con mi mamá —contestó Mía.

El Sr. Li echó un vistazo a la tienda para asegurarse de que nadie lo necesitaba. Entonces salió de detrás de la máquina registradora, pasó por delante del congelador y los estantes con caramelos y chicles y salió por la puerta.

—Hola, Sr. Li —dijo la Sra. Battelli—. Seguro que quiere saludar a Cali. Está muy bien, gracias a usted.

El Sr. Li se agachó para poder mirar por la ventanita de la bolsa.

—Hola, hola, gatita —dijo, y arañó la bolsa con su dedo índice.

Cali maulló a través de la redecilla.

Es mi amigo de la tienda. Todavía puedo oler esa comida tan rica que me dio. Pescado. Delicioso. Y recuerdo que me rascó por debajo de la barbilla. Me gusta que me acaricien ahí.

El Sr. Li sonrió.

—¿Te acuerdas de mí? Me quedé muy solo cuando te fuiste. Ven a visitarme cuando quieras. Me alegra que estés mejor.

Mía sabía cómo se sentía el Sr. Li. Ella también

se había sentido sola en la escuela. Había pasado todo el día pensando en Cali.

Se rió. Ahora Cali intentaba darle la patita al Sr. Li desde dentro de la bolsa.

—Lo está saludando —dijo Michael.

—Tengo que regresar —dijo el Sr. Li, señalando la tienda y despidiéndose.

—Vamos —dijo Mía cuando el Sr. Li se marchó. Se moría de ganas de llegar a casa. Quería sujetar a Cali, jugar con ella y verla caminar por el apartamento.

Una vez en casa, Mía y Michael hicieron rápidamente sus tareas y después jugaron con la gatita mientras su mamá preparaba la cena. Los chicos buscaron una hebra de lana para que Cali la persiguiera. La gatita, muy alegre, iba detrás de la hebra y le daba golpecitos con su pata extendida. A Mía le encantaba ver como Cali echaba las orejas hacia atrás justo antes de saltar. Cuando jugaba, no parecía que la pata le molestara.

Michael llevó la hebra hasta su habitación y

se subió a la cama. Mía vio la hebra serpenteando detrás de él. Cali también la vio. La gatita se agachó y movió la cola en el aire. Entonces, salió corriendo por la habitación y se subió a la cama de un salto, enganchándose de la colcha con los dientes y las uñas. Michael y Mía se morían de risa.

El Sr. Battelli llegó a casa justo antes de que la cena estuviera lista.

—Estamos aquí —dijo Michael—. Con Cali.

Mía tenía a Cali en brazos cuando su papá entró por la puerta. La gatita ronroneaba cada vez que le acariciaba el pelo blanco del cuello.

El Sr. Battelli se agachó y acarició a Cali detrás de las orejas.

—Hola, preciosa. ¿Estás bien?

Cali ronroneó aun más fuerte.

¡Ay, cómo me gusta esto! Esta gente sabe jugar y acariciar. Descansaré un minuto y después volveré a investigar.

A la hora de la cena se habló sobre Cali, Cali y más Cali. Mientras comía y hablaba, Mía observaba a la gatita, que estaba sentada en el alféizar de la ventana de la habitación de sus padres y miraba a la calle, asomada entre las hojas del ficus.

—¿Puede dormir Cali a los pies de mi cama? —preguntó la chica.

—Esta noche no —dijo la Sra. Battelli—. Puede que quiera salir a explorar en medio de la noche y no quiero que te despierte. Vamos a poner su cama en la sala de estar.

Mía asintió y miró su comida. Su mamá tenía razón. Ella sabía que los felinos eran nocturnos y que cazaban sobre todo entre el anochecer y el amanecer, así que Cali se quedaría despierta hasta tarde. Aun así, estaba decepcionada. Siempre había soñado con dormir con un gato que le calentara los pies.

Mientras Mía estaba en la bañera, oyó a su mamá abrir el armario donde guardaba la ropa de cama. Buscaba unas toallas viejas para que Cali durmiera sobre ellas. También oyó a su papá y a Michael sacar la basura. Recordó que la noche anterior habían estado buscando a Cali entre los botes de basura y debajo de los autos. Ahora Cali estaba a salvo con ellos.

Después del baño, Mía se puso el pijama y fue a ver la cama que su mamá había preparado cerca del sofá. Estaba hecha con un montón de toallas suaves y tenía una manta vieja por encima. Mía sabía que a Cali le encantaría.

—Vamos a enseñársela —le dijo a su mamá.

—Muy bien. Creo que está por las ventanas de mi habitación —contestó la Sra. Battelli—. Ten cuidado cuando la levantes. Acuérdate de su patita.

Mía fue corriendo a la habitación de sus padres, pero Cali no estaba allí. La buscó en los alféizares de todas las ventanas, detrás de la planta grande y debajo de la cama.

—¡Mamá, Cali no está aquí! —gritó Mía.

Volvió a mirar por la habitación y regresó a la sala de estar.

La Sra. Battelli venía de la parte de atrás del apartamento.

—Tampoco está en la habitación de Michael —dijo.

Cuando Michael y el Sr. Battelli regresaron de sacar la basura, el Sr. Battelli miró a su esposa y después a Mía.

—¿Qué ocurre? —preguntó.

Mía no se atrevió a decir nada. Su mamá le puso una mano en el hombro.

—Cali no está —dijo.

CAPÍTULO OCHO

Mía, Michael y la Sra. Battelli recorrieron todos los rincones del apartamento mientras que el Sr. Battelli buscaba a Cali afuera.

—¿La encontraste? —le preguntó su esposa cuando regresó al apartamento.

El Sr. Battelli negó con la cabeza.

—También le pregunté a Nonna Kate si había visto a Cali. A lo mejor se escapó cuando sacamos la basura. No sé cómo —dijo.

—Tuvimos mucho cuidado —dijo Michael.

Mía no lo podía creer. Cali había desaparecido. Cuando miró su camita vacía, sintió que una lágrima le rodaba por la mejilla.

—Podemos seguir buscando —dijo el Sr. Battelli—. Y pondremos comida afuera.

La Sra. Battelli y Michael empezaron a llenar los cuencos de Cali mientras el Sr. Battelli ayudaba a Mía a ponerse los zapatos y el abrigo encima del pijama.

—¡Enseguida volvemos! —dijo el Sr. Battelli abriendo la puerta.

La Sra. Battelli corrió por el pasillo y le dio a Mía un pequeño recipiente con comida para gatos.

—Si lo agitas, a lo mejor lo oye y viene —dijo el Sr. Battelli.

Al principio, Mía solo sujetaba el recipiente. Iba de puntillas por la acera y susurraba el nombre de Cali en la oscura noche. Cada vez que pasaba un auto sentía un escalofrío. Recordó que la Dra. Bulford había dicho que no era buena idea que los gatos vivieran en la calle con tanto tráfico. Al llegar al final de la calle, Mía agitaba el recipiente y llamaba a la gatita lo más fuerte que podía. Su papá le sujetaba la mano y se la apretaba de vez en cuando.

Cuando llegaron a la calle Park, Mía había perdido la esperanza. En la siguiente esquina, ya habrían dado la vuelta a la manzana.

—¡Sr. Li! —gritó Mía.

La luz de la tienda del Sr. Li estaba encendida. Mía soltó la mano de su papá y corrió por la acera hasta la puerta de la tienda. Estaba cerrada, pero Mía podía ver al Sr. Li dentro. Estaba barriendo. Mía golpeó la puerta de cristal.

—¡Sr. Li! —gritó.

—¡Mía! —dijo el Sr. Battelli—. No molestes al Sr. Li.

Demasiado tarde. El Sr. Li ya había recostado la escoba sobre unos estantes y se dirigía a la puerta de la tienda. Mía aguantó la respiración mientras giraba la cerradura.

—Hola, hola —dijo el Sr. Li—. ¿Hay algún problema?

El Sr. Battelli puso la mano en el hombro de su hija.

—Sentimos mucho molestarlo...

—Cali ha desaparecido —interrumpió Mía—. Debe de haberse escapado. No la podemos encontrar y la veterinaria nos dijo que tenía que quedarse dentro de la casa hasta que se le curara la patita.

—Ah, sí —dijo el Sr. Li levantando las cejas—. Los gatos hacen eso. Cali es como un gato que tuve. Quería entrar y salir, así que yo siempre dejaba la puerta de la tienda abierta. Así no se iba. Solo quería salir. Qué gato más curioso.

El Sr. Li movió la cabeza y se rió. Entonces miró a Mía como si de pronto recordara por qué estaba allí.

—Volveré a dejarle comida. Tu gatita tendrá hambre y volverá. Tú también debes dejarle comida.

Las palabras del Sr. Li hicieron que Mía se sintiera mejor. Parecía muy seguro de que Cali no se había perdido. Mía asintió y le sonrió débilmente.

—Gracias, Sr. Li —dijo el Sr. Battelli.

Tomó a Mía de la mano y se alejaron de la tienda. Cuando llegaron a casa, Mía se detuvo en los botes de basura. Quería asegurarse de que Michael y su mamá hubieran dejado los cuencos de Cali en el sitio adecuado. También comprobó que la gatita no estuviera allí.

Una vez en el apartamento, Mía se metió directamente en la cama. Sus padres fueron a arroparla. Normalmente se turnaban, pero Mía sabía que los dos se sentían mal por lo que había pasado. Su papá le apartó el pelo de la frente.

—Mantendremos la ventana abierta esta noche por si la oímos —prometió.

—Gracias, papá —dijo Mía.

La Sra. Battelli le dio un beso en la frente y la abrazó.

—Te quiero mucho, Mía. Que tengas dulces sueños.

Mía besó a su mamá pero no contestó. ¿Cómo iba a tener dulces sueños cuando Cali había desaparecido?

CAPÍTULO NUEVE

Cuando se despertó a la mañana siguiente, Mía fue de puntillas a la habitación de sus padres. Esta vez intentó no despertarlos. Apartó las cortinas y vio que el cuenco que habían dejado afuera estaba vacío. Una vez más, había desaparecido la comida que dejaron. Y una vez más, no había ni rastro de Cali.

Mía volvió a su cuarto. Sabía que el cuenco vacío era una buena señal. Si Cali se había comido la comida, era porque estaba bien. Pero Mía deseaba que Cali estuviera en su casa. Quería que se quedara con ellos. Le gustaban sus ojitos amarillos y como golpeaba la ventana con la patita. Extrañaba sus maullidos.

Mía oyó a Michael y a sus padres levantarse y andar por el apartamento. Michael tocó a la puerta de su habitación un par de veces y asomó la cabeza.

—¿Alguna señal de Cali? —preguntó.

Mía frunció el ceño y negó con la cabeza.

—Pero se comió la comida. Gracias por ponerla —le dijo a su hermano.

Un poco más tarde, mientras se cepillaba los dientes, sonó el teléfono.

—Era el Sr. Li —le dijo la Sra. Battelli a Mía—. Cali está en la tienda. Estaba allí cuando llegó por la mañana. ¿Quieres venir conmigo a buscarla?

Mía se vistió en segundos. Una vez afuera, corrió a toda velocidad y solo se detuvo en la puerta de cristal de la tienda del Sr. Li. ¡Allí estaba Cali! La gatita se frotaba contra las piernas de una mujer que estaba comprando café y papel higiénico. La mujer se agachó para acariciarla. Entonces pasó un chico camino hacia el estante de las papas fritas. Cali lo siguió por

el pasillo jugando con el cordón desatado de su zapato. Mía sonrió y abrió la puerta.

—¡Hola, hola! —dijo el Sr. Li saludando con la mano—. Tu gatita está aquí. Ha estado muy atareada.

Mía corrió por el pasillo y agarró a Cali en sus brazos.

¡Ah, es mi amiga! ¿Qué está haciendo aquí? Espero que quiera jugar.

Mía metió la nariz en la suave barriguita de la gata. Estaba muy contenta de volver a verla. Cuando miró hacia arriba, vio a su mamá hablando con el Sr. Li. Se acercó a ellos, acariciando a Cali sin parar. La gatita ronroneaba y frotaba su naricilla con la de Mía.

—Gracias de nuevo, Sr. Li —dijo la Sra. Battelli.

—Gracias —repitió Mía mirando al Sr. Li a los ojos para que supiera lo agradecida que estaba por su ayuda.

—Ha sido un placer —dijo el dueño de la tienda—. Es una gatita muy buena.

Mía ya estaba en la acera cuando la llamó el Sr. Li.

—¡Espera! —dijo—. Tengo algo para Cali.

Salió de detrás de la caja registradora y corrió hacia Mía y su mamá. Llevaba algo suave y rosado en la mano.

—Le gusta mucho —dijo—. Le gusta jugar.

Era un ratón de peluche.

—Gracias —dijo Mía.

El Sr. Li sabía mucho de gatos.

A Mía se le hizo muy difícil ir a la escuela. Cali acababa de regresar a casa y le preocupaba que quisiera volver a escaparse.

—La vigilaré bien —prometió la Sra. Battelli—. Y llamaré a la Dra. Bulford para contarle que se escapó y preguntarle si tiene alguna sugerencia para gatos a los que les gusta escaparse.

Mía acarició a Cali entre las orejas una vez más y le dio un besito de despedida. Michael esperó a que Mía cerrara la puerta del apartamento antes de abrir la puerta principal del edificio. Tenían que asegurarse de que Cali no se volviera a escapar.

Mía intentó prestar atención en clase, pero el día le pareció interminable. No podía dejar de pensar en Cali. En cuanto sonó la campana, ella y Michael se subieron a sus patinetas y no pararon hasta llegar a la casa. Mía se sintió aliviada al ver que Cali estaba sentada en la ventana. La gatita parecía una princesa en la torre de un castillo, observando todo lo que pasaba fuera.

—¡Hola, Cali! —dijo Mía mientras subía las escaleras.

La gatita saltó de la ventana en cuanto Michael puso la llave en la cerradura.

Mía recostó su patineta y se quitó los zapatos en el pasillo de su edificio. Como siempre, ella iba un paso por detrás de su hermano. En el instante en el que Michael abrió la puerta del apartamento, Mía vio un remolino blanco y anaranjado que salió disparado hacia el pasillo.

—¡Ay, no! —dijo Mía.

Pero la gatita se detuvo en cuanto vio que la puerta principal estaba cerrada. Cali maulló, y Mía se imaginó lo que estaba pensando.

¡Quiero salir! ¿Por qué está cerrada la puerta grande? Esperaré a que la vuelvan a abrir. Quiero oler el aire fresco. Quiero saber lo que pasa afuera. Necesito saber qué está pasando. ¿Por qué no puedo salir? Soy muy lista. Averiguaré la manera de hacerlo.

La Sra. Battelli apareció con una toalla para secar platos en la mano.

—Lleva así todo el día —dijo con un suspiro—. Cuando oye a alguien en el pasillo, intenta buscar una ruta de escape. Cali realmente quiere estar afuera. Me da miedo abrir las puertas o

las ventanas cuando estoy aquí sola. Creo que vamos a tener una pequeña conversación familiar durante la cena.

Mía tragó saliva. Normalmente le gustaban las conversaciones familiares porque era el momento en el que todos hablaban de sus cosas. Pero esta vez, Mía sabía que la conversación solo podía ser sobre un asunto: ¿Qué iban a hacer con Cali?.

Intentó no pensar en eso y fue a buscar a la gatita. Estaba sentada en el tapete de la entrada del apartamento con aspecto inocente.

—¿Por qué causas tantos problemas? —le preguntó.

Luego, ella y Michael jugaron con Cali hasta la hora de cenar. Aunque Mía se reía con las travesuras de la gatita, seguía preocupada. ¿Cuánto tiempo más podría estar Cali con ellos?

La Sra. Battelli estaba muy seria cuando se sentaron a la mesa. Mía tenía un nudo en el estómago y aunque las berenjenas a la parmesana

era uno de sus platos preferidos, no podía probar bocado.

—Bien, hoy hablé con la Dra. Bulford —dijo por fin la Sra. Battelli—. Le dije que Cali se pasa todo el tiempo intentando escaparse y que pienso que es muy difícil para nosotros mantenerla en casa.

—Pero tiene que estar dentro hasta que se le cure la patita —dijo Mía.

La Sra. Battelli asintió.

—Sí, y la Dra. Bulford dice que está dispuesta a dejar que se quede en Hocicos y Bigotes. Creo que será un lugar mejor para ella.

Mía saltó de su silla.

—¡No puede quedarse ahí! Odiaría estar encerrada en una jaula.

El Sr. Battelli le puso una mano en el hombro a su hija.

—Tranquilízate, Mía —dijo—. ¿Tenemos alguna otra opción? —le preguntó a su esposa.

—A lo mejor Mía tiene razón —dijo la Sra. Battelli—. A lo mejor sería demasiado cruel meter a Cali en una jaula. La Dra. Bulford también dijo que haría lo posible por encontrarle un hogar, a lo mejor una casa con un jardín más grande.

Mía movió la cabeza y sintió que se le escapaban unas lágrimas. Si alguien iba a encontrar un hogar para Cali tenía que ser ella. Conocía mejor que nadie a la gatita.

Su mamá siguió hablando.

—La otra posibilidad es que la dejemos volver a su vida de antes. Cali está acostumbrada a vivir en la calle y puede que sea lo mejor para ella. No es feliz aquí encerrada. Le dije a la veterinaria que su pata se estaba curando bien, y la Dra. Bulford dijo que probablemente se curaría aun cuando Cali volviera a escaparse. Los puntos se disolverán en unos días.

Mía odiaba la idea de que Cali se fuera de su casa. Se estaba acostumbrando a tener un gato y le gustaba tanto como se había imaginado. Tampoco le gustaba que Cali quisiera ser una gata callejera. ¿No querían todos los gatos vivir en una casa con una familia?

—Cali no soporta estar encerrada, pero le gusta la gente —dijo Michael, como si le hubiera leído la mente a Mía—. Siempre se escapa, pero siempre regresa, o por lo menos regresa a la tienda del Sr. Li.

Mira esos pajaritos en la acera. Si estuviera allí, ya les enseñaría yo quién manda aquí. ¿Por qué está cerrada esta ventana? ¡Quiero salir!

Mía suspiró. ¿Por qué Cali no se conformaba con estar adentro? ¿Qué podían hacer con una gata a la que le gustaba la gente pero detestaba estar encerrada? No parecía que hubiera una buena respuesta. A no ser que...

"¡Creo que ya sé lo que debo hacer!", pensó.

CAPÍTULO DIEZ

—¿Recuerdan que el Sr. Li tuvo un gato al que le gustaba salir? —dijo Mía mirando a su familia—. ¿Y que él siempre dejaba la puerta de la tienda abierta para que entrara y saliera? Me pregunto si Cali haría lo mismo.

—¿Estás diciendo lo que creo que estás diciendo? —preguntó el Sr. Battelli.

Michael miró a Mía y una sonrisa se dibujó en su cara.

—A lo mejor piensas que no me gustan los gatos —dijo—, pero Cali me hizo cambiar de opinión. Es divertida. Ojalá fuera nuestra mascota. Pero como no puede ser nuestra, sería genial si fuera de alguien que conocemos, ¿no?

Mía le sonrió a su hermano.

—Alguien que la cuidara muy bien y le diera ratones de peluche rosados —dijo—. Eso le encantaría.

—Y sería genial si pudiéramos seguir viéndola todo el tiempo —añadió Michael con un brillo en los ojos.

—Sí, eso sería perfecto —asintió Mía.

Se estaba emocionando. Se preguntaba si funcionaría. ¿Sería feliz Cali? ¿Se acordaría de ella y de Michael?

Unos minutos más tarde, toda la familia se dirigió a la tienda del Sr. Li. El Sr. Battelli y Michael esperaron afuera con Cali en la bolsa mientras Mía y su mamá entraban a hablar con el Sr. Li.

Mía se había olvidado de su timidez y fue directo a la caja registradora. El Sr. Li le estaba cobrando a una señora.

—Sr. Li —dijo Mía—, ¿cómo es que no tiene un gato? Quiero decir, ¿no le gustaría tener uno?

—¿Quién, yo? —preguntó el Sr. Li—. Me gustan mucho los gatos y echo de menos al mío —dijo, y se detuvo. Parecía estar mirando a algo muy lejos—. Sí, me encantaría tener otro gato.

Mía respiró hondo dos veces.

—¿Y qué le parece Cali? ¿Se quedaría con ella? —preguntó—. Podría intentarlo unos días. Y si todo sale bien, la gatita formaría parte de su familia y viviría en la tienda.

Mía sintió la mano de su mamá en el hombro.

—Pero yo pensaba que ustedes se habían quedado con Cali —dijo el Sr. Li.

A Mía le hubiera gustado que así fuera, pero sabía que ese nunca había sido el plan.

—Solo la estamos cuidando unos días —le explicó Mía—, hasta que le encontremos el hogar ideal.

Sintió que su mamá le apretaba el hombro y que estaba orgullosa de ella.

El Sr. Li empezó a asentir lentamente. Levantó las cejas y asintió más rápidamente. Luego sonrió.

—Sí, sí, sí —dijo—. Si es así, me quedaré con ella y prometo cuidarla muy bien.

—Un momento —dijo Mía.

Oyó a la Sra. Battelli hablarle al Sr. Li sobre la pata de Cali y decir que tendría que ir a ver a la Dra. Bulford una vez más. Sabía que su mamá se encargaría de todos los detalles.

Mía llevó la bolsa a la tienda y abrió el cierre. Cali salió muy contenta. Corrió y se metió por el estrecho pasillo entre los estantes. Después fue hacia la caja registradora, miró al Sr. Li y lo saludó con un maullido feliz.

—Hola a ti también —dijo el Sr. Li riéndose.

Cali se frotó contra los tobillos del hombre y maulló un poco más.

Me gusta este lugar. Hay tantos olores y tanta gente. Aquí hay mucho que hacer. La puerta está abierta y siempre puedo salir. Pero por ahora, voy a observar la puerta a ver quién entra. Sí, eso es lo que haré.

Cali fue a la parte delantera de la tienda y se sentó con la cola enrollada y los ojos fijos en la puerta. Mía tenía el presentimiento de que Cali había elegido el mejor sitio. Era perfecto para ella. Estaba a salvo allí. Pero también estaba en un lugar donde había mucho movimiento y podía ver entrar y salir a la gente. Ahora Mía sabía dónde encontraría a la gatita calicó cuando fuera a la tienda del Sr. Li. Ella y Michael se arrodillaron junto a Cali y la acariciaron.

Cuando terminaron de jugar con la gatita, el Sr. Li les dio un helado a cada uno.

—Gracias por darme a Cali —dijo—. Vengan a verla cuando quieran. Vengan pronto.

De camino a casa, la bolsa de Nonna Kate se sentía vacía y ligera en los brazos de Mía. Cuando llegaron al edificio, todos se sentaron en las escaleras; los padres en el escalón de arriba, un poco más abajo, Michael, y después Mía. Mía puso la bolsa en el suelo. Todavía deseaba que Cali fuera suya, pero por lo menos ahora podía ir a visitarla todos los días a la tienda del Sr. Li.

—Qué días más ajetreados —dijo la Sra. Battelli.

—Es cierto —asintió su esposo—. No estará nada mal recuperar la paz y la tranquilidad.

Mía miró a Michael e hizo una mueca.

—Yo no quiero paz y tranquilidad —dijo—. Quiero cuidar a otro gatito.

—Sí, vamos a cuidar a otros gatitos hasta que estemos listos para tener el nuestro —dijo Michael.

Sus padres intercambiaron una mirada.

—Ya tenemos la caja de arena y la comida —dijo Mía.

Por la manera en la que se miraban sus padres, sabía que era un buen momento para pedir algo.

—Tiene razón —le dijo el Sr. Battelli a su esposa dándole un golpecito en la mano—. Y tienes que admitir que te gustó mucho Cali.

Su esposa asintió.

—Y además, ayudar a los gatos es algo bueno —dijo Michael.

—Es cierto —dijo la Sra. Battelli—. Lo es.

—Supongo que ayudará a los niños a aprender lo que supone tener una mascota —dijo el Sr. Battelli—. Fueron muy responsables a la hora de cuidar a Cali.

—Está bien, ya lo entendí —dijo la Sra. Battelli—. Ya veremos qué pasa.

—Sí —dijo Mía sonriéndoles a sus padres y a su hermano—. Veremos qué pasa con el siguiente gatito que cuidemos.

CUESTIONARIO SOBRE GATITOS

Cali es una gatita calicó porque es de tres colores. Su pelaje es blanco con manchas anaranjadas y negras. Pero, ¿de qué raza es?

A. Gato doméstico de pelo corto

B. Manx

C. Siamés

D. Rabicorto japonés

Voltea la página para ver la respuesta.

La respuesta es A. El gato doméstico de pelo corto es una mezcla de razas. Estos gatos pueden tener hasta ocho colores y diseños diferentes, como calicó, atigrado y liso. Como son una mezcla de razas, los gatos domésticos también tienen distintas formas y tamaños. Algunos son alargados y delgados mientras que otros son más robustos. Lo único que tienen en común es el pelo corto.

No hay tantas razas de gatos como de perros. Puedes haber oído hablar de algunos gatos de pura raza como el siamés, el manx, el persa y el coon de Maine.

Los gatos que son de la misma raza siempre tienen por lo menos una característica en común. Por ejemplo, todos los gatos siameses son "apuntados", es decir, su cara, sus orejas, sus patas y su cola son más oscuras que el resto del pelaje. Los gatos persas son anchos, con el hocico aplanado y el pelo largo. El inmenso gato de pelo largo coon de Maine tiene las patas muy grandes para andar sobre la nieve (algunos hasta tienen dedos extras). ¡Y los gatos manx no tienen cola!

Al igual que los perros, todos los gatos tienen su propia personalidad, independientemente de la raza o mezcla. Por eso los queremos tanto y por eso es tan divertido vivir con ellos.

ACERCA DE LA AUTORA

A **Ellen Miles** le encantan los perros y por eso la pasa tan bien escribiendo la serie Cachorritos. ¿Y sabes qué? ¡También le encantan los gatos! (De hecho, su primera mascota fue una linda gata parda llamada Jenny). Y por esa razón se le ocurrió escribir esta nueva serie llamada Gatitos. Ellen vive en Vermont y le gusta pasear todos los días al aire libre, montar en bicicleta, esquiar o nadar, dependiendo de la estación del año. También le gusta mucho leer, cocinar, explorar su hermoso estado y estar en compañía de amigos y familiares.

Visita a Ellen en **www.ellenmiles.com**.